THE MAN AND THE FOX

by
Idries Shah

EL HOMBRE Y EL ZORRO

Escrito por
Idries Shah

HOOPOE BOOKS

ONCE UPON A TIME, when the moon grew on a tree and ants were fond of pickles, there was a lovely brown fox.

UNA VEZ, cuando la luna crecía de un árbol y las hormigas adoraban los pickles, había un precioso zorro marrón.

He had soft fur,
beautiful whiskers,
and a fine, bushy tail.

Tenía la piel suave,
unos hermosos bigotes y
una cola linda y espesa.

This fox, whose name was Rowba, was sitting beside a road one day, combing his whiskers with his claws, when a man came along.

"May you never be tired!" said the man.

"May you always be happy!" replied Rowba.

Este zorro, que se llamaba Rowba, estaba un día sentado al lado de un camino peinándose los bigotes con las uñas, cuando llegó un hombre.

"¡Ojalá que nunca estés cansado!" dijo el hombre.

"¡Ojalá que siempre seas feliz!" respondió Rowba.

"I'm feeling generous today," said the man. "Is there anything you would like?"

"I would like a chicken," said Rowba, because foxes love to eat chickens.

"Hoy me siento generoso", dijo el hombre. "¿Hay algo que te gustaría?"

"Me gustaría una gallina", dijo Rowba, porque a los zorros les encanta comer gallinas.

"Come along with me, then, and I'll give you one!" replied the man. "I have chickens at my house. We'll go there, and you'll have your chicken in no time at all."

"How marvelous!" said Rowba. And he trotted down the road beside the man. When they got to the man's house, the man said, "Wait outside. I'll go to the yard in the back and get you one of my birds."

"¡Ven conmigo, entonces, y te daré una!" respondió el hombre. "Yo tengo gallinas en mi casa. Vamos allá, y tú tendrás tu gallina de inmediato."

"¡Maravilloso!" dijo Rowba. Y se fue trotando por el camino al lado del hombre. Cuando llegaron a la casa del hombre, éste dijo: "Espérate afuera. Yo iré al gallinero detrás de la casa y te buscaré una de mis gallinas."

So Rowba sat down to wait and the man went into his house.

Así que Rowba se sentó a esperar
y el hombre entró en la casa.

Then the man took a sack and put some stones into it. You see, he was going to pretend there was a chicken in the sack. He wasn't really going to give a chicken to the fox at all!

Entonces el hombre tomó una bolsa y puso unas piedras adentro. Claro, él iba a hacerle creer que había una gallina en la bolsa. ¡No iba realmente a darle una gallina al zorro para nada!

When the man came out again, he handed Rowba the sack and said, "Here you are, there's a chicken in this sack."

"How wonderful!" said Rowba, and he was just about to open the sack to eat the chicken when the man said, "No! Don't open it here!"

"Why not?" asked Rowba.

"Well," said the man, "the farmers around here can see us, and they won't like my giving a chicken to a fox."

Of course, that wasn't true at all. The man just didn't want the fox to see that there were only stones in the sack.

Cuando el hombre salió le dio la bolsa a Rowba y le dijo:
"Aquí tienes, hay una gallina en esta bolsa."

"¡Qué bueno!" dijo Rowba, y estaba a punto de abrir la bolsa
para comerse la gallina cuando el hombre le dijo: "¡No! ¡No
la abras aquí!"

"¿Por qué no?" preguntó Rowba.

"Pues", dijo el hombre, "los granjeros de por aquí nos pueden
ver, y no les va a gustar que yo le dé una gallina a un zorro."

Por supuesto, eso no era cierto para nada. El hombre apenas
no quería que el zorro viera que había solamente piedras en
la bolsa.

"What shall I do, then?" asked Rowba.

"Do you see those bushes up there?" asked the man, pointing. "Take the sack there and open it. Nobody will see you, and you can eat your chicken in peace."

"That's a good idea," said Rowba. "Thank you very much!" And he trotted all the way to the bushes carrying the sack in his mouth.

"¿Qué debo hacer, entonces?" preguntó Rowba.

"¿Ves aquellos arbustos allá?" preguntó el hombre, señalando. "Lleva la bolsa allá y ábrela. Nadie te va a ver, y podrás comerte la gallina en paz."

"Esa es una buena idea," dijo Rowba. "¡Muchas gracias!" Y se fue trotando hasta los arbustos llevando la bolsa en la boca.

As soon as Rowba crawled under the bushes, he opened the sack and saw the stones inside. "Strange!" he muttered to himself. "What kind of a funny joke is this?"

When he peeked out of the bushes, he saw that a net had fallen over him. It was a trap! Some hunters had put a net there to catch any fox that went into the bushes to hide.

Tan pronto como Rowba se arrastró debajo de
los arbustos, abrió la bolsa y vio las piedras adentro. "¡Qué extraño!"
murmuró para sí mismo. "¿Qué clase de broma es ésta?"

Cuando espió a través de los arbustos, vio que le había caído una red
encima. ¡Era una trampa! Unos cazadores habían puesto una red allí
para atrapar a cualquier zorro que se escondiera entre los arbustos.

At first Rowba was worried because he thought he might not get out of the net. But he was very clever.

Foxes are very, very clever, you know. He searched through the stones in the sack and found one with a sharp edge. With this, he began to cut the net.

Al principio Rowba se preocupó porque pensó que no podría salir de la red. Pero él era muy listo.

Los zorros son muy, muy listos, ¿sabes? Buscó entre las piedras de la bolsa y encontró una con una arista afilada. Con ella empezó a cortar la red.

He cut a hole big enough for his left front paw to fit through.

He cut some more, and soon the hole was big enough for his left and his right front paws to fit through.

Cortó un agujero lo bastante grande para poder pasar la pata delantera izquierda.

Cortó más, y pronto el agujero fue lo bastante grande para pasar las patas delanteras izquierda y derecha.

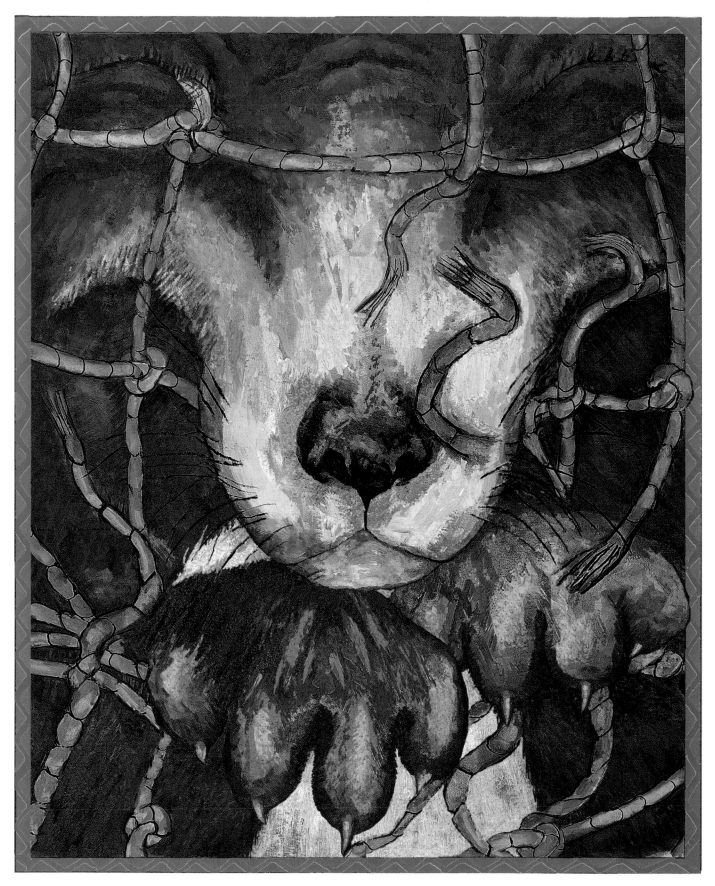

He cut still more, and soon the hole was big enough for his two front paws and his nose to fit through. He kept on cutting, and soon the hole was big enough for his front paws, his nose and the rest of his head to fit through.

Cortó más todavía, y enseguida el agujero fue lo bastante
grande para pasar las dos patas delanteras y la nariz.
Siguió cortando, y pronto el agujero fue lo bastante grande
para pasar las patas delanteras, la nariz y el resto de la cabeza.

Then he pushed and wiggled just a bit more. And finally ...

Rowba escaped!

Después tiró y sacudió un
poquito más. Y finalmente ...

¡Rowba escapó!

As Rowba ran off down the road, he laughed and laughed and laughed.

"Men may think they are clever," he said to himself, "but foxes are cleverer still!"

Mientras Rowba salía corriendo por el camino, se reía y se reía y se reía.

"Los hombres podrán creerse muy listos", se decía a sí mismo, "¡pero los zorros son más listos aún!"

Now, all foxes know the story of Rowba and the man who promised him a chicken. And that is the reason why, whenever you see a fox, if you ask him to come for a walk with you, he won't.

And that is why it is very, very difficult to catch foxes and why they live such a free and happy life.

Ahora, todos los zorros conocen la historia de Rowba y el hombre que le prometió una gallina. Y ésta es la razón por la cual, cuando tú ves un zorro, si le pides que vaya a caminar contigo, él no lo hará.

Y por eso es muy, muy difícil atrapar zorros, y por eso ellos tienen una vida tan libre y feliz.